FOLIO CADET

Pour Joshua

Traduit de l'anglais
par Karine Chaunac

Maquette : Karine Benoit

ISBN : 978-2-07-063788-1
Titre original : *Horrid Henry's Stinkbomb*
Édition originale publiée par Orion Children's Books, 2002
© Francesca Simon, 2002, pour le texte
© Tony Ross, 2002, pour les illustrations
© Éditions Gallimard Jeunesse, 2011, pour la traduction française
N° d'édition : 180271
Loi n° 49-956 du 16 juillet 1949 sur les publications destinées à la jeunesse
Dépôt légal : mai 2011
Imprimé en Italie par L.e.g.o S.p.a

Francesca Simon

Horrible Henri
La bombe puante

illustré par Tony Ross

GALLIMARD JEUNESSE

1
Le défi lecture

Blablabla blablabla.

Mlle Lefouet parlait depuis des heures. Dans son cahier de maths, Horrible Henri dessinait des crocodiles qui bâfraient sa juteuse maîtresse en guise d'en-cas.

Tchac ! Plus de tête.

Crac ! Une jambe en moins.

Scrunch ! Au revoir les dents.

Miam, miam. Le crocodile d'Henri affichait un large sourire joufflu.

Blablabla… livres… blablabla…
lire… blablabla… prix… blabla…
… PRIX ?

Horrible Henri cessa de griffonner.

– Quel prix ? piailla-t-il soudain.

– On ne se met pas à crier comme ça en classe, dit Mlle Lefouet.

Il leva la main et brailla de plus belle :

– Quel prix ?

– Eh bien, tu le saurais si tu avais suivi au lieu de faire des gribouillages, non ? rétorqua l'institutrice.

Horrible Henri se renfrogna. Ces maîtresses, toutes les mêmes. Vous vous intéressiez enfin suffisamment à ce qu'elles racontaient pour poser une question et voilà qu'elles refusaient de répondre.

— Donc, les enfants, comme je vous le disais avant d'être grossièrement interrompue…

Mlle Lefouet lança un regard mauvais à Henri.

— … vous avez deux semaines pour lire autant de livres que possible pour le défi lecture de l'école. Celui qui en lira le plus gagnera un prix sensationnel. Absolument sensationnel. Mais souvenez-vous, il me faut une fiche de lecture pour chacun des ouvrages de votre liste.

Oh ! Un concours de lecture. Henri s'affala sur sa chaise. Pfft. Lire était une tâche difficile, voire éreintante. Il se sentait épuisé rien qu'à l'idée de tourner les pages. Pourquoi ne pouvait-on jamais organiser de concours

rigolos, comme à qui faisait les gar-
gouillis d'estomac les plus bruyants,
ou criait le plus en classe, ou connaissait les pires gros mots ? Horrible
Henri gagnerait à tous les coups.

Mais non. Mlle Lefouet ne songerait
jamais à une compétition amusante. Il
n'était pas question qu'il participe à
un concours de lecture. Mais il devrait

alors se contenter de regarder des usurpateurs comme Alice Malice ou Rémi Génie se pavaner avec le prix tandis qu'il resterait assis au fond de la classe les mains vides. C'était trop injuste !

– C'est quoi le prix ? cria Maudite Marguerite.

Sûrement quelque chose d'affreux comme une trousse à crayons, songea Horrible Henri. Ou un lot promotionnel de torchons imprimés au nom de l'école.

– Des bonbons ! lança Léon Glouton.

– Un million d'euros ! hurla Alexis Malpoli.

– Des vêtements ! vociféra Jolie Julie.

– Un skateboard ! rugit Lulu Muscu.

– Un hamster ! fit Louis Langoisse.

– Silence ! mugit Mlle Lefouet. Le prix est un billet familial pour un tout nouveau parc à thème.

Horrible Henri se redressa sur sa chaise. Un parc d'attractions ! Waouh ! Il adorait les parcs d'attrac-

tions ! Les montagnes russes ! Les rapides ! Les barbes à papa ! Ses méchants, cruels parents ne l'y emmenaient jamais. Ils le traînaient dans les musées. Ils l'obligeaient à de longues randonnées. Mais s'il remportait la compétition, ils seraient forcés de capituler. Il lui fallait ce prix. Absolument ! Mais comment gagner un concours de lecture sans lire un livre ?

– Est-ce que ça compte, les BD ? jeta Alexis Malpoli.

Le cœur d'Horrible Henri fit un bond. Il était champion de lecture de bandes dessinées. C'était le triomphe assuré.

Mlle Lefouet regarda méchamment Alexis avec ses yeux de fouine.

– Bien sûr que non ! dit-elle. Alice… Combien de livres penses-tu pouvoir lire ?

– Quinze, répondit Alice Malice.

– Rémi ?

– Dix-huit, annonça Rémi Génie.

– Dix-neuf, renchérit Alice.

– Vingt, conclut Rémi.

Horrible Henri sourit. Quel choc ils auraient si c'était lui qui remportait la victoire ! À peine rentré à la maison, il se précipiterait sur quelque chose à lire.

Horrible Henri s'affala dans le bon gros fauteuil noir et alluma la télévision. Il avait tout son temps pour le concours. Il commencerait demain.

Le mardi : oh, génial ! Cinq nou-velles bandes dessinées ! Il les dévo-rerait d'abord et se mettrait aux livres plus tard.

Le mercredi : youpi ! Une émission spéciale Max Mutant ! Il ne pouvait faire autrement que de remettre à plus tard ses lectures.

Le jeudi : tiens, une visite d'Alexis

Malpoli ! Avec son nouveau super jeu d'ordinateur : *Dégomme-les et écrabouille-les tous !* Henri dégomma et écrabouilla et dégomma et écrabouilla…

Le vendredi : bâillement. Horrible Henri était fatigué après sa longue semaine difficile. « Je lirai des tonnes de livres demain », se dit-il. Après tout, il restait une éternité avant la clôture de la compétition.

— Combien de fiches as-tu rédigées, Henri ? demanda Paul Parfait en levant les yeux depuis le canapé.

— Des tas, mentit Henri.

— Moi, cinq, fit fièrement son petit frère. Plus que tous les autres de ma classe.

— Tu m'en diras tant.

— T'es juste jaloux.

— Comme si je pouvais être jaloux de toi, pauvre vermisseau, renifla Henri avec mépris.

L'air de rien, il se rapprocha du canapé.

— Alors, qu'est-ce que tu lis ?

— *La sotte couche-culotte*, répondit Paul.

La sotte couche-culotte ! On pouvait faire confiance à Paul pour choisir les livres les plus crétins.

— Et de quoi ça parle ? grogna Henri.

— C'est génial, c'est une couche-culotte qui…

Paul s'arrêta net.

— Attends, je ne vais pas tout te raconter ! Tu cherches juste à pêcher

des informations pour le concours !
Eh bien ! c'est trop tard. Il ne reste
plus que demain.

Horrible Henri eut l'impression
qu'un poignard lui transperçait le
cœur. C'était impossible. Demain !
Comment demain avait-il pu arriver
aussi vite, aussi sournoisement ?

– Quoi ! couina-t-il. Tu es sûr ?

– Oui. Tu aurais dû commencer à
lire plus tôt. Pourquoi remettre à plus
tard ce que l'on peut accomplir le jour
même ?

– La ferme !

Paniqué, Horrible Henri regarda
autour de lui.

Que faire, que faire ? Il devait absolument lire quelque chose, n'importe
quoi, tout de suite.

– Passe-moi ça ! gronda-t-il, en saisissant le livre des mains de Paul.

Il se mit à déchiffrer frénétiquement le texte :

« J'ai la tremblote, dit la sotte couche-culotte. Une couche-culotte sans jugeote coincée dans cette gargote… »

Paul Parfait récupéra l'album d'un geste vif.

– C'est à moi, cria-t-il en s'y accrochant fermement.

Henri plongea vers l'avant :

– Non, à moi !

– À moi !

Scraaatch !

– MAMAAAAN, hurla Paul, Henri a déchiré mon livre !

Leurs parents débarquèrent dans la pièce.

– Vous vous battez… pour un livre ? demanda leur mère.

Elle se laissa tomber sur une chaise et ajouta :

– J'en suis sans voix.

– Pas moi, coupa leur père. Henri, va dans ta chambre !

– Tant mieux ! rétorqua l'intéressé.

Horrible Henri marchait de long en large. Il fallait qu'il trouve quelque chose. Vite.

Ah ! Mais il y avait des tas de livres ici ! Il lui suffirait de recopier les titres.

Ouf ! Trop facile.

Et soudain, il se souvint : il devait faire une fiche de lecture pour chacune des histoires. Zut ! Mlle Lefouet en connaissait une quantité incroyable et elle devait sûrement avoir déjà entendu parler de *Jacques le kangourou* ou des *Aventures de Bouclette la serviette*.

Bon, il ne lui restait plus qu'à emprunter la liste de Paul. Il se faufila dans la chambre de son petit frère.

Son bulletin de participation au concours de lecture trônait au beau milieu du bureau impeccablement rangé. Henri s'en empara pour l'examiner.

Évidemment, Paul avait choisi le soporifique *Souriceau va en ville*. Henri pourrait-il survivre à la honte d'avoir des livres pour bébés comme *La sotte couche-culotte* et *Souriceau va en ville* sur sa liste ? Oui, pour une journée dans un parc d'attractions, il survivrait à tout.

Rapidement, il recopia la sélection de Paul ainsi que ses fiches de lecture. Génial ! Maintenant, il tenait cinq livres. « Grande roue, me voilà », se dit-il.

Puis, la terrible réalité s'abattit sur lui : cela ne pourrait suffire. Il avait entendu raconter qu'Alice cumulait dix-sept titres au total. Si seulement il n'était pas obligé de préparer ces fiches de lecture. Pourquoi, oh, pourquoi, fallait-il que Mlle Lefouet connaisse tous les livres qui aient jamais existé ?

Soudain, Henri eut une idée brillante, géniale. Tellement géniale, et tellement simple à la fois, qu'il n'en revenait pas. Il existait bien sûr des livres que Mlle Lefouet n'avait jamais lus : ceux qui n'avaient pas encore été écrits.

Il saisit sa liste.

« *Souriceau va en ville*. Les aventures passionnantes d'un jeune souriceau dans la grande ville. Il y rencontre un chien, un chat et un canard. »

Pourquoi ce pauvre souriceau devrait-il se contenter d'aller en ville ? À la hâte, Henri griffonna le titre d'un nouvel épisode.

« *Souriceau va à la campagne*. Les aventures passionnantes d'un jeune souriceau à la campagne. Il y rencontre… »

Henri marqua une pause. Qu'est-ce qu'on peut bien rencontrer à la campagne ? Il n'en avait aucune idée.

Ah ! Il écrivit rapidement : « Il y rencontre un mouton et un loup-garou. »

« *Souriceau va faire le tour du monde*. Un jeune souriceau découvre que la Terre est ronde. »

« *Souriceau va aux toilettes*. Les aventures passionnantes d'un souriceau et de son pot de chambre. »

Maintenant, peut-être, quelque chose d'un peu différent… Pourquoi pas… *Le polisson et le cochon* ? De quoi pourrait parler un livre pareil ? réfléchit Henri.

« Il était une fois un garçon polisson et son cochon. Ils jouaient ensemble tous les jours. Le cochon faisait groin-groin. »

« Cela me paraît parfait », se dit-il.

Et il y avait aussi *Le cochon et le polisson*. Et bien sûr, *Un cochon polisson. Un polisson cochon. Deux cochons et un polisson. Deux polissons et un cochon.*

Horrible Henri notait, et notait encore.

Quand il eut rempli quatre pages de titres et de résumés, et que sa main lui fit mal à force d'écrire, il s'arrêta et calcula le résultat.

Vingt-sept livres ! C'était sûrement plus qu'assez !

Dans le préau de l'école, Mlle Lefouet se leva de sa chaise et s'avança vers l'estrade. Horrible Henri était tellement excité qu'il pouvait à peine respirer.

Il fallait qu'il gagne. Il était sûr de gagner.

– Bravo à tous, commença Mlle Lefouet. Tant de merveilleux livres ont été lus par vous tous… Mais malheureusement, il ne peut y avoir qu'un seul gagnant.

« Moi ! » songea Horrible Henri.

– Le gagnant du défi lecture de l'école, le gagnant qui recevra le fabuleux premier prix est…

Henri se tenait prêt à bondir.

– … Alice, avec vingt-huit livres !

Il se ratatina sur sa chaise tandis qu'Alice Malice se dandinait jusqu'à l'estrade. Si seulement il avait ajouté *Trois polissons, deux cochons et un rhinocéros* à son bulletin de participation, il aurait été premier ex æquo.

C'était tellement injuste. Tout ce dur travail pour rien.

– Très bien, Alice ! rayonnait Mlle Lefouet.

L'institutrice brandit la liste victorieuse.

– Je vois que tu as lu une de mes histoires préférées : *Bérénice la conquérante*.

Elle s'interrompit.

– Oh, non. Alice, tu as inscrit deux fois *Bérénice la conquérante* par erreur. Mais peu importe. Je suis sûre que personne d'autre n'a lu vingt-sept livres…

– Si, moi ! s'exclama Horrible Henri.

Avec un cri de triomphe, Horrible Henri s'élança jusqu'à l'estrade ; il bondissait, frappait l'air de ses poings

levés et scandait : « Parc à thème !
Parc à thème ! Parc à thème ! »

– Donne-moi mon prix, piailla-t-il
avant d'arracher les billets des mains
d'Alice.

– C'est à moi, hurla Alice en les
reprenant derechef.

Mlle Lefouet avait l'air sombre.
Elle examina la liste d'Henri.

– Je ne suis pas sûre de connaître la
série *Le polisson et le cochon*, dit-elle.

– C'est parce que c'est canadien,
affirma Horrible Henri.

La maîtresse lui jeta un regard noir.
Puis elle tordit la bouche en un sem-
blant de sourire.

– On dirait que nous avons deux
gagnants ex æquo. Vous allez donc
chacun recevoir un billet familial

pour le nouveau parc à thème Livren-folie. Félicitations.

Horrible Henri interrompit sa danse victorieuse. Livrenfolie ? Il devait sûrement avoir mal compris ?

– Voici quelques-unes des mer-
veilleuses attractions que vous décou-
vrirez au parc Livrenfolie, ajouta Mlle
Lefouet : Vivez le grand frisson au
concours du plus rapide lecteur !
Entraînez-vous à retrouver des livres
dans une bibliothèque ! Lisez en
rythme ! Oh, comme ça a l'air exci-
tant !

– AAAAAAARGL ! hurla Horrible
Henri.

2
La bombe puante

— Je te déteste, Marguerite ! cria Ninon Ronchon.

Elle lutta pour s'extirper de la tente du club secret.

— Moi aussi, je te déteste ! brailla Maudite Marguerite.

Ninon Ronchon lui tira la langue.

Maudite Marguerite lui tira la langue à son tour.

— Je quitte le club ! renchérit Ninon.

— C'est inutile puisque tu es virée ! mugit Marguerite.

– Tu ne peux pas me virer puisque je pars !

– Je t'ai virée d'abord. Et je vais changer le mot de passe !

– Vas-y. Qu'est-ce que j'en ai à faire puisque je ne veux plus faire partie du club secret ! ronchonna Ninon.

– Ça tombe bien car nous ne voulons plus que tu fasses partie du club !

Maudite Marguerite se replia dans la tente avec humeur. Ninon Ronchon s'éloigna à grands pas.

Enfin libre ! Ninon n'en pouvait plus de cette ex-meilleure amie qui voulait toujours commander. Marguerite avait déjà exagéré en l'accusant de ce raid désastreux sur la forteresse de La Main Violette alors qu'elle en était la seule responsable ; mais proposer maintenant à cette idiote de Paula de rejoindre le club secret sans lui demander son avis, c'en était trop ! Ninon détestait encore plus Paula qu'elle détestait Marguerite. Paula ne l'avait pas invitée à sa soirée pyjama. Et elle n'arrêtait pas de copier. Mais visiblement, cela ne gênait pas Marguerite : aujourd'hui, elle l'avait nommée espionne en chef. Ninon n'allait pas tolérer cela. Son ex-camarade avait trop souvent été méchante avec elle.

Elle entendit de grands éclats de rire depuis la tente. Alors, comme ça, elles rigolaient, hein ? Elles se moquaient d'elle, sans doute. Eh bien ! elles allaient voir. Ninon connaissait tous les plans secrets de

Marguerite. Et elle connaissait aussi quelqu'un qui serait très intéressé par ces informations.

– Halte ! Le mot de passe ?

– Crapaud puant, annonça Paul Parfait.

Il se tenait devant la forteresse de La Main Violette.

– Faux, répliqua Horrible Henri.

– C'est quoi le nouveau code, alors ?

– Je ne vais pas te le dire. Tu es exclu, souviens-toi.

Paul Parfait s'en souvenait parfaitement. Il avait espéré qu'Henri aurait oublié.

– Je ne peux pas revenir, Henri ? implora-t-il.

– Pas question !

— S'il te plaît ?

— Non. Alexis a pris ta place.

Alexis Malpoli passa la tête à travers les branchages de la tanière d'Henri.

— Les bébés ne sont pas acceptés, déclara-t-il.

— On ne veut pas de toi ici, Paul, conclut Horrible Henri. Déguerpis.

Paul Parfait fondit en larmes.

— Pleurnicheur ! railla Horrible Henri.

— Pleurnicheur ! railla Alexis Malpoli.

Ce fut la goutte d'eau qui fit déborder le vase.

— Maaaaaman ! hulula Paul Parfait.

Il courut vers la maison.

— Henri ne veut pas que je joue avec lui et m'appelle pleurnicheur !

— Ne sois pas horrible, Henri ! cria maman.

Paul attendit. Mais elle n'ajouta rien.

Il se mit à vagir encore plus fort.

— Mamaaan ! Henri est méchant !

— Laisse Paul tranquille, Henri ! lança-t-elle.

Elle sortit de la maison. Ses mains étaient couvertes de farine.

— Où est Henri ?

— Dans sa forteresse, renifla Paul.

— Je croyais qu'il t'embêtait.

— Mais c'est vrai !

– Ne t'approche pas de lui, c'est tout !

Et elle retourna à l'intérieur.

« C'est tout ? » Paul Parfait était scandalisé. Pourquoi n'avait-elle pas puni Henri ? Il avait été si horrible qu'il méritait bien un an de prison. Ou deux. Avec seulement une croûte de pain par semaine. Et des choux de Bruxelles. Ça lui ferait les pieds.

Mais en attendant, comment pourrait-il se venger ?

Paul Parfait sut soudain exactement ce qui lui restait à faire. Il inspecta soigneusement les alentours pour vérifier que personne ne regardait. Puis il se glissa par-dessus le mur du jardin et se dirigea vers la tente du club secret.

– Impossible ! dit Marguerite.

– Elle ne ferait jamais ça ! s'exclama Henri.

– Il veut verser une potion de sorcière dans notre citronnade ? demanda Marguerite.

– Oui, acquiesça Paul.

– Elle veut jeter une bombe puante dans la forteresse de La Main Violette ? interrogea Henri.

– Oui, opina Ninon.

– Comment ose-t-elle ? fit Henri.

— Comment ose-t-il ? fit Marguerite.
Mais ce ne sera pas difficile de l'arrê-
ter… Paula ! aboya-t-elle. Cache la
citronnade !

Paula bâilla.

— Cache-la toi-même, répondit-elle.
Je suis fatiguée.

Marguerite lui jeta un regard noir
puis dissimula le broc sous un carton.

— Ah, ah ! Henri aura une sacrée sur-
prise quand il s'introduira ici et
découvrira qu'il n'y a aucune boisson

à empoisonner ! jubila-t-elle. Paul, tu es un héros. Je te décerne la Triple Étoile, la plus haute distinction que le club secret puisse accorder.

– Ooh, merci ! répondit Paul.

C'était bon de se sentir apprécié, pour une fois.

– Donc, à partir de maintenant, tu travailles pour moi.

– D'accord, approuva le traître.

Horrible Henri se frottait les mains. C'était formidable ! Il avait enfin un espion dans le camp ennemi ! Il se défendrait facilement contre cette ridicule bombe puante. Marguerite ne passerait à l'attaque que lorsque la forteresse serait occupée. Il suffirait que la sentinelle d'Henri reste aux aguets armée d'un gicleur de pâte gluante ; quand Marguerite essaierait

de pénétrer à l'intérieur avec sa bombe puante… splatch !

– Attends un peu, dit Horrible Henri, pourquoi devrais-je te faire confiance ?

– Parce que Marguerite est une méchante peste et que je la déteste, répondit Ninon.

– Donc, à partir de maintenant, tu travailles pour moi.

Ninon n'était pas sûre de vraiment aimer cela. Mais elle se souvint des vilains gloussements de Marguerite.

– D'accord, accepta la traîtresse.

Paul regagnait discrètement son propre jardin lorsqu'il percuta quel-qu'un.

– Aïe ! fit-il.

– Regarde un peu où tu vas ! le rabroua Ninon.

Ils se dévisagèrent avec suspicion.

– Qu'est-ce que tu faisais chez Marguerite ? demanda-t-elle.

– Rien. Qu'est-ce que tu faisais chez moi ?

– Rien.

Paul se dirigea vers la forteresse d'Henri en sifflotant.

Ninon se dirigea vers la tente de Marguerite en chantonnant.

Bon, si Ninon espionnait Henri pour le compte de Marguerite, Paul n'allait certainement pas le prévenir. Tant pis pour lui.

Bien, si Paul espionnait Marguerite pour le compte d'Henri, Ninon n'allait certainement pas la prévenir. Tant pis pour elle.

Une potion de sorcière, hein ?

Marguerite aimait beaucoup mieux cette idée que son complot à la bombe puante.

– J'ai changé d'avis à propos de la bombe, annonça-t-elle. Je vais plutôt remplacer leur soda par une ignoble potion de sorcière.

– Bonne idée, commenta Paula Raplapla. Ça fera moins de travail.

Une bombe puante, hein ?

Henri aimait beaucoup mieux cette solution que son complot à la potion de sorcière. Pourquoi n'y avait-il pas pensé lui-même ?

– J'ai changé d'avis à propos de la potion, annonça-t-il. Je vais plutôt leur jeter une bombe puante.

– Ouais, fit Alexis Malpoli. Quand ?

– Maintenant. Viens, allons dans ma chambre.

Horrible Henri ouvrit son kit de bombe puante super infecte. Il l'avait acheté avec sa grand-mère. Sa mère n'aurait jamais accepté. Mais comme

c'était Mamie qui avait donné l'argent, elle n'avait rien pu faire. Ah, ah, ah !

Bien, quelle odeur allait-il choisir ? Il examina les tubes à essai remplis de poudre et lut les étiquettes prometteuses.

Mauvaise haleine. Caca de chien. Œuf pourri. Chaussettes sales. Poisson mort. Relent d'égout.

– Je prendrais Poisson mort, dit Alexis. C'est ce qu'il y a de pire.

Henri réfléchit.

– Et si on mélangeait Poisson mort et Œuf pourri ?

– Ouais !

Lentement, avec précaution, Horrible Henri déposa une cuillerée à café de poudre de poisson mort et une cuillerée à café de poudre d'œuf pourri dans le sachet spécial.

Doucement, avec soin, Alexis Malpoli versa cent cinquante millilitres de liquide secret pour bombe puante dans la bouteille fournie et vissa bien le bouchon.

Il ne leur restait plus qu'à ajouter la poudre au liquide devant la tente du club secret et… à partir en courant !

– Prêt ? demanda Horrible Henri.

– Prêt, répondit Alexis Malpoli.

– Quoi qu'il arrive, surtout, n'en renverse pas.

– Alors, tu reviens en rampant, dit Maudite Marguerite. J'en étais sûre.

– Non, répliqua Ninon Ronchon, je passais par là, c'est tout.

Elle jeta un œil dans la tente.

– Où est Paula ?

Marguerite fit la moue.

– Partie.

– Partie pour aujourd'hui ou pour toujours ?

– Pour toujours, rétorqua férocement Marguerite. Je ne veux plus jamais voir cette grosse mollasse !

Marguerite et Ninon se regardèrent.

Ninon tapota du pied.

Marguerite fredonna puis dit :

– Alors ?

– Alors quoi ? demanda l'autre.

– Tu réintègres le club secret en tant qu'espionne en chef ou quoi ?

– Peut-être. Peut-être pas.

– Comme tu veux. Je vais appeler Julie et lui demander de s'inscrire à ta place.

– D'accord, dit rapidement Ninon. J'en suis.

Devait-elle mentionner sa visite à

Henri ? Ce n'était pas souhaitable. La vérité n'est pas toujours bonne à entendre.

– En ce qui concerne mon attentat à la bombe puante, commença Marguerite, j'ai décidé…

Quelque chose se brisa en mille morceaux sur le sol de la tente. Une odeur épouvantable, terrible, insoutenable, emplit l'air.

– AAAARGL ! brailla Marguerite avec un haut-le-cœur. C'est une… BOMBE PUANTE !

– AU SECOURS ! vociféra Ninon Ronchon. ALERTE ! ALERTE À LA BOMBE PUANTE !

Victoire ! Horrible Henri et Alexis Malpoli retournèrent précipitamment à la forteresse de La Main Violette et se roulèrent par terre, s'étranglant de rires et de cris d'excitation.

Quel triomphe ! Quels hurlements elles avaient poussés ! Et la mère de Marguerite ! Et son père aussi ! Waouh, cette puanteur ! Horrible Henri n'avait jamais rien senti d'aussi horrible de sa vie.

Cela méritait d'être célébré.

Il offrit à Alexis une poignée de bonbons et leur versa deux verres de boisson gazeuse.

– À la tienne ! lança-t-il.

– À la tienne ! répondit son complice. Ils burent.

– AAAARGL ! s'étouffa Alexis.

– BEUUURK ! glapit Henri avant de recracher, pris de nausées. Nous avons été – keuf ! keuf ! – empoisonnés à la potion de sorcière !

Ce fut alors qu'Horrible Henri entendit une horrible mélopée. Maudite Marguerite et Ninon Ronchon se tenaient devant la forteresse de La Main Violette. Elles clamaient un chant de victoire :

– NANANA NANÈRE ! NANANA NANÈRE !

3
Silence, les enfants !

— Ninon ! Arrête de crier ! Alexis !
Arrête de courir ! Colin ! Arrête de
pleurnicher ! Henri ! Arrête tout !

Mlle Lefouet laissa errer un œil
sombre sur sa classe. Les enfants la
dévisagèrent en retour.

— Madame ! piailla Paula Raplapla.
Henri me tire les cheveux.

— Maîtresse ! piailla Jolie Julie.
Alexis me donne des coups de pied.

— Maîtresse ! piailla Louis Langoisse. Hugo me tape.

– Henri, cesse immédiatement !
aboya Mlle Lefouet.

Henri s'immobilisa. Qu'est-ce qui
lui prenait encore, à cette vieille
chouette ?

– Les enfants, silence, s'il vous
plaît, poursuivit l'institutrice. Aujour-
d'hui nous allons faire un travail de
groupe sur la Grèce antique. Nous
étudierons…

– La chute de Troie ! glapit Henri.

Oui ! Il voyait ça d'ici. Henri,
menant les Grecs qui avançaient sur
les Troyens terrorisés, et écrasaient,
tailladaient tout sur leur passage… Sa
lance serait la plus longue, la plus
pointue, et…

Mlle Lefouet le fixait de son regard
glacial. Il se figea.

– Nous allons nous diviser en petits groupes et fabriquer des Parthénons avec du carton et des rouleaux de papier toilette, continua-t-elle. Vous devrez d'abord dessiner chacun un temple, vous mettre d'accord ensemble sur son aspect final, puis le construire et le peindre. Je veux tous vous voir participer et écouter les autres. La directrice va passer dans la classe pour admirer vos travaux et voir combien vous collaborez merveilleusement entre vous.

Horrible Henri se renfrogna. Il exécrait le travail de groupe. Il détestait participer à des échanges. Il haïssait devoir écouter les autres. Leurs idées semblaient toujours mauvaises, ses idées toujours meilleures. Mais les autres enfants ne reconnaissaient pas son génie. Pour une raison mystérieuse, ils voulaient continuellement faire les choses à leur façon, jamais à la sienne.

« Les Grecs de l'Antiquité n'imaginaient sans doute pas collaborer merveilleusement entre eux, pensa Horrible Henri avec ressentiment, alors pourquoi moi ? Ils devaient passer leur temps à s'embrocher ou à manger leurs enfants au dîner. »

– Henri, Thomas, Colin et Alice, vous travaillerez ensemble table numéro trois, dit Mlle Lefouet.

Horrible Henri grogna. Quel groupe nul, archi nul. Il les détestait tous. Pourquoi la maîtresse ne le mettait-il jamais avec des élèves marrants comme Alexis, ou Léon, ou Hugo ? Henri se voyait très bien rigoler avec eux dans un coin, faire des trompettes avec les rouleaux de papier toilette, manger des bonbons en cachette, jeter des crayons, envoyer de la peinture, bref, s'amuser comme des petits fous. Mais non. Il fallait qu'il soit avec Alice la commandante, Colin le pleurnichard et… Thomas. Mlle Lefouet l'avait fait exprès pour le tor-turer.

— Pas question, protesta Horrible Henri. Je ne peux pas travailler avec elle.

— Pas question, protesta Alice Malice. Je ne peux pas travailler avec lui.

— Ouiiiin, gémit Colin Ouin-Ouin, je veux être avec Louis.

— Silence ! cria Mlle Lefouet. Rejoignez vos groupes et mettez-vous à l'ouvrage. Je veux voir tout le monde participer et collaborer merveilleusement, sinon…

Il y eut une folle ruée vers les tables où chacun se précipita pour attraper les meilleurs crayons et le plus de papier possible.

Henri s'empara du violet, du bleu et du rouge, et d'une grosse pile de feuilles.

— Je n'ai pas de papier ! pleurnicha Colin.

— Dommage, fit Henri. J'ai besoin de toute ma pile.

— Je veux du papier !

Alice Malice lui passa une de ses feuilles.

Colin éclata en sanglots.

– Elle est tachée, gémit-il, et je n'ai pas de crayon.

– Écoutez, voici comment nous allons procéder, dit Henri. Je vais faire le dessin, Colin pourra m'aider à construire le Parthénon et les autres pourront me regarder peindre.

– Non, Henri, dit Alice. Nous faisons tous un dessin et nous prenons le meilleur.

– Qui sera le mien, riposta Horrible Henri.

– J'en doute.

– Je ne fabriquerai pas ton Parthénon en tout cas, gronda-t-il. Et c'est moi qui peindrai.

– Non, tu colleras et je peindrai.

– Moi je veux peindre, geignit Colin.

– Qu'est-ce que tu veux faire, Thomas ? demanda Alice.

– Ch'ais pas, dit Thomas Grosbras.

– Parfait. Thomas rangera quand on aura fini. Allons, mettons-nous tous au dessin. Le Parthénon de notre groupe doit être le plus beau.

Horrible Henri était scandalisé.

– Qui a dit que c'était toi le chef ? questionna-t-il.

— Il faut bien un responsable, répondit Alice Malice.

Horrible Henri tendit la jambe sous la table et la frappa.

— AÏÏÏÏE ! glapit Alice Malice. Madame ! Henri m'a donné un coup de pied !

— C'est pas vrai ! cria Horrible Henri. Menteuse !

— Pourquoi la table numéro trois n'est-elle pas en train de dessiner ? siffla Mlle Lefouet.

Alice dessina. Colin dessina. Thomas dessina.

Henri dessina.

— Tout le monde devrait avoir fini son croquis, maintenant, dit l'institutrice qui circulait entre les tables. Il est temps d'échanger vos idées.

– Mais je n'ai pas terminé, pleura Colin.

Horrible Henri contempla son œuvre avec satisfaction. C'était une réussite. Il voyait déjà son Parthénon, peint en argent et violet, avec quelques bandes rouges.

– Pourquoi ne construisons-nous pas tout simplement le mien ? fit Alice.

– Parce que le mien est mieux ! cria Horrible Henri.

– Et le mien ? murmura Colin.

– Non, on construit le mien ! hurla Alice.

– NON, LE MIEN !

– LE MIEN !

Mlle Lefouet arriva en courant.

– Arrêtez de crier ! cria-t-elle. Montrez-moi votre travail. C'est très joli, Alice. Un excellent dessin.

– Merci, madame, dit Alice Malice.

– Colin ! C'est une tour ça, pas un temple ! Recommence !

– Ouiiin ! gémit Colin.

– Thomas ! Qu'est-ce que c'est que ça ?

– Ch'ais pas, dit Thomas Grosbras.

– On dirait un tipi, commenta Mlle Lefouet.

Elle observa la feuille d'Horrible Henri et le fixa durement.

– Tu ne peux pas suivre les consignes ? s'exclama-t-elle. Ce temple donne l'impression qu'il est sur le point d'être envoyé en orbite.

– C'est comme ça que je le voulais, répondit Henri. High-tech.

– Marguerite ! Assieds-toi ! Théo ! Laisse Rémi tranquille ! Léon !

Remets-toi au travail ! jeta Mlle Lefouet en se précipitant pour interrompre une bagarre à la table numéro deux.

— Bien, nous utiliserons donc mon dessin, dit Alice. Qui veut construire les marches et qui veut décorer les colonnes ?

— Personne, coupa Horrible Henri. Puisqu'on va prendre mon dessin.

— OK, votons. Qui veut fabriquer mon Parthénon ?

Alice et Colin levèrent la main.

— Tu me le paieras, Colin, marmonna Henri.

Colin se mit à pleurer.

— Qui veut faire celui d'Henri ? demanda Alice.

Seul l'intéressé leva la main.

– Allez, Thomas, tu ne veux pas voter pour moi ?

– Ch'ais pas, dit Thomas Grosbras.

– C'est pas juste ! glapit Horrible Henri. JE VEUX CONSTRUIRE MON PARTHÉNON !

– NON, MOI !

BING !

PAF !

– Ça suffit ! hurla Mlle Lefouet. Henri ! Va travailler tout seul au coin.

GÉNIAL ! C'était la meilleure nouvelle qu'Henri entendait de la matinée.

Rayonnant, il se dirigea vers le coin et s'assit à sa propre petite table, avec colle, ciseaux, peinture, carton et pile de rouleaux de papier toilette à son usage personnel.

« Merveilleux, songea-t-il. Je peux construire mon Parthénon en paix. »

Un seul problème subsistait. Il n'avait qu'une petite quantité de rouleaux.

« C'est loin d'être suffisant pour mon projet, se dit Horrible Henri. Il m'en faut davantage. »

Il se dirigea vers la table de Maudite Marguerite.

– J'ai besoin de rouleaux en carton, dit-il.

– Dommage, répondit Marguerite. On utilise tous les nôtres.

Henri se traîna d'un pas lourd jusqu'à la table de Ninon Ronchon.

– Donne-moi des rouleaux, lança-t-il.

– Va-t'en, ronchonna Ninon. Marguerite a pris tous ceux qu'on avait en trop.

— Assieds-toi, Henri, aboya Mlle Lefouet.

Furieux, Henri retourna à sa place. C'était un scandale. La maîtresse n'avait-elle pas dit qu'il fallait collaborer ? Et voici que les autres acca-

paraient tous les rouleaux alors que son Parthénon avait désespérément besoin de turbines supplémentaires.

DRIIIING. Récréation !

— Laissez vos Parthénons sécher sur vos tables, dit Mlle Lefouet. Henri, tu restes en classe pour finir.

Quoi ?

Manquer la récréation ?

— Mais… mais…

— À ta place ! ordonna l'institutrice. Ou tu vas directement chez la directrice !

Aïe ! Horrible Henri connaissait bien la directrice, Mme Drôledoiseau. Il n'avait pas besoin de faire plus ample connaissance.

Il se rassit avec précaution. Tous les autres coururent vers la sortie en poussant des hurlements. Pourquoi était-ce toujours les enfants qui se retrouvaient punis ? Pourquoi les maîtres n'étaient-ils jamais envoyés chez la directrice ? C'était trop injuste !

– Je dois descendre dans le préau, j'en ai pour un instant. Ne t'avise pas de quitter ta table, lui intima Mlle Lefouet.

À la seconde où elle passa la porte, Henri se leva d'un bond et renversa accidentellement exprès la chaise d'Alice. Il cassa le crayon de Colin et dessina un drapeau pirate sur le tipi de Thomas Grosbras.

Puis il se promena jusqu'à la table de Ninon Ronchon. Un Parthénon fraîchement collé trônait au milieu, prêt à être peint.

Henri l'examina.

« Dis donc, songea-t-il, le groupe de Ninon s'en est plutôt bien sorti. Même très bien sorti. Dommage, cependant, qu'il y ait ce renflement sur une façade. S'ils partageaient un de leurs rouleaux avec moi, leur Parthénon serait beaucoup mieux équilibré. »

Horrible Henri jeta un regard à gauche.

Horrible Henri jeta un regard à droite.

Crac ! La structure de Ninon s'affaissa.

« Il vaut mieux que les deux côtés soient au même niveau », se dit-il.

Chtac !

« Hmmm, réfléchit-il encore, les yeux rivés sur la table de Julie. À quoi ont pensé ceux-là ? Leurs murs sont bien trop hauts. »

Scratch ! Le temple de Julie chancela.

Et quant à l'œuvre minable d'Alice Malice, elle débordait carrément de piliers inutiles.

Chtonc ! Les colonnes d'Alice vacillèrent.

« C'est beaucoup mieux ! » se félicita Horrible Henri. Il eut bientôt tout un lot de rouleaux de carton.

CLOP

CLOP

CLOP

Horrible Henri trottina jusqu'à sa table et lorsque ses camarades revinrent et se ruèrent à leurs places, il était innocemment occupé à coller différents éléments.

Trembloti, tremblota, trembloti…
PATATRAS !

Sur chacune des tables, les Parthénons commencèrent à s'écrouler.

Tout le monde se mit à geindre,
crier, sangloter.

– C'est ta faute !

– Non, c'est la tienne !

– Tu as mal collé !

– Tu as mal découpé !

Alexis Malpoli lança un pinceau à
Maudite Marguerite. Marguerite lui
retourna la politesse. Bientôt, les
crayons volants, les pots de colle et

les rouleaux de carton fusèrent partout dans la pièce.

Soudain surgit Mlle Lefouet.

– ARRÊTEZ IMMÉDIATEMENT ! mugit-elle tandis qu'un rouleau venait lui frapper le nez. VOUS ÊTES LA PIRE CLASSE QUE J'AIE JAMAIS

EUE ! JE VOUS LAISSE SEULS UNE MINUTE ET REGARDEZ-MOI CE CHANTIER ! MAINTENANT ASSEYEZ-VOUS ET TAIS…

La porte s'ouvrit. La directrice fit son entrée.

Mme Drôledoiseau regarda Mlle Lefouet.

Mlle Lefouet regarda Mme Drôledoiseau.

– Bérénice ! s'exclama la directrice. Qu'est-ce qui se passe ?

– C'est la chute de Troie ! lança Horrible Henri.

Il y eut un terrible silence.

Horrible Henri se ratatina sur sa chaise. Son compte était bon. Il était mort.

– C'est ce que je vois, fit froidement Mme Drôledoiseau. Mademoiselle Lefouet ! Venez dans mon bureau… tout de suite !

– Non ! gémit Mlle Lefouet.

« SI ! » pensa Horrible Henri.

HOURRAH !

4
La soirée pyjama

Horrible Henri adorait les soirées pyjama. Les festins à minuit ! Les batailles d'oreillers ! Les cris, les hurlements ! Le chahut jusqu'à l'aube !

Et la fois où il avait mangé toute la crème glacée chez Léon Glouton et laissé la porte du réfrigérateur ouverte ! Et lorsqu'il avait sauté sur les lits chez Hugo Tornado et les avait tous cassés ! Et puis chez Alexis Malpoli, quand il… hum, il valait peut-être mieux ne pas mentionner cet épisode-là.

Il n'y avait qu'un seul problème. Personne n'invitait jamais Henri plus d'une fois pour une soirée pyjama. À tous les coups, lorsqu'il allait dormir chez un ami, son père et sa mère recevaient un appel à trois heures du matin d'un parent au bord de la crise de nerfs, qui leur demandait de venir le chercher immédiatement.

Horrible Henri n'arrivait pas à comprendre pourquoi. Les parents faisaient toujours trop de chichis. Même ceux qui avaient des enfants géniaux comme Alexis Malpoli ou Léon Glouton. Quelle importance s'il y avait un peu de bruit ? Ou un lit cassé ? La belle affaire, se disait-il.

En revanche, ce n'était vraiment pas drôle quand ses amis venaient dormir à la maison. Chez lui, ni chahut ni festin. À neuf heures, c'était l'extinction des feux, comme d'habitude ; pas de bavardage, pas de grignotage, pas de jeux.

Alors quand Nouveau Nico qui venait juste d'arriver dans la classe lui proposa de venir passer la nuit chez lui, Horrible Henri eut peine à contenir sa joie. De nouveaux lits pour rebondir. De nouveaux sachets de biscuits à éventrer. De nouveaux endroits à saccager. L'extase totale !

Henri paqueta son duvet aussi vite qu'il put. Sa mère entra, l'air grognon.

— Tu as pris ton pyjama ? demanda-t-elle.

Henri n'avait pas besoin de pyjama pour les soirées pyjama parce qu'il n'allait jamais se coucher.

— Je l'ai, répondit-il.

« Mais pas avec moi, c'est tout », se dit-il en son for intérieur.

— N'oublie pas ta brosse à dents.

— Pas de problème.

Il n'oubliait jamais sa brosse à dents. Il choisissait juste de ne pas l'emporter.

Son père arriva à son tour. Il avait l'air encore plus grognon.

– N'oublie pas ton peigne.

Horrible Henri regarda son sac à dos bourré de jouets et de bandes dessinées.

Malheureusement, il n'y avait plus de place pour un peigne.

– C'est bon, mentit-il.

– Je te préviens, Henri, commença sa mère, je veux que tu aies une conduite irréprochable ce soir.

– Bien sûr, répondit-il.

– Je ne veux pas de coup de fil des parents de Nico à trois heures du matin, renchérit son père. Si jamais ça se produit, ce sera la dernière fois que tu iras dormir chez un ami. Et je parle sérieusement.

Gna gna gna.

— D'accord, fit Horrible Henri.

Ding Dong !

— OUAH OUAH OUAH OUAH OUAH !

Une femme ouvrit la porte. Elle portait un casque viking sur la tête et une longue robe flottante. Derrière elle se dressait un homme en redingote de velours qui retenait cinq énormes chiens noirs aux babines retroussées.

— TRALALA TRALALÈRE, tonna une terrible voix assourdissante.

— Bravo, bravo ! hurlèrent en chœur des gens dans le salon.

— GRRRRRRR ! grognèrent les chiens.

Horrible Henri hésita. Se trouvait-il à la bonne adresse ? Nouveau Nico serait-il un extraterrestre ?

— Oh ! ne fais pas attention à nous, mon chéri, c'est notre soirée club Opéra Karaoké, roucoula le casque viking.

— Nico ! beugla la redingote. Ton ami est arrivé.

Nico surgit. Henri fut soulagé de constater qu'il ne portait pas de casque viking ni de redingote de velours.

— Salut, Henri, fit Nouveau Nico.

— Salut, Nico, fit Horrible Henri.

Une petite fille se dandina dans leur direction en suçant son pouce.

— Henri, voici ma sœur, Zoé, annonça Nico.

Zoé observa Horrible Henri.

– Ze t'aime, Henwy, dit Zoé Zozotte. Tu veux te marier z'avec moi ?

– NON ! s'exclama Horrible Henri. Beurk ! Quelle idée dégoutante !

– Va-t'en, Zoé, dit Nico.

Zoé ne bougea pas.

– Allez, viens, Nico, ne restons pas là, dit Henri.

Il n'allait pas laisser une gamine lui gâcher son plaisir. Bien, par quoi commencer ? Le raid sur la cuisine ou le trampoline sur les lits ?

– Dévalisons les placards, proposa-t-il.

– Génial, acquiesça Nico.

– T'as des bonbons ?

– Des tonnes !

« YOUPI ! se rengorgea Horrible Henri. C'est parti pour une soirée pyjama de rêve ! »

Ils se faufilèrent dans la cuisine. Le sol était couvert de plaids pour chien, de gamelles de nourriture renversées, de boulettes de poils et d'os mâchouillés. Il y avait quelques flaques louches. Henri espéra qu'il s'agissait d'eau.

– Voilà les biscuits, dit Nico.

Henri regarda. Était-ce des poils de chien, là, partout sur la boîte ?

– Euh, non merci, répondit-il. Du chocolat, c'est possible ?

– Bien sûr. Tiens.

Nico lui tendit une barre chocolatée. Miam ! Henri était sur le point de mordre dedans à pleines dents quand il s'immobilisa. Était-ce… une marque de crocs, là, dans le coin ?

– GROÂÂÂ !

Une énorme masse noire sauta sur Henri, le renversa et s'empara de la friandise.

Le père de Nico fit soudain irruption dans la cuisine.

– Rigoletto ! Rends ça tout de suite ! dit-il, tandis qu'il extirpait d'un coup sec le chocolat de la gueule du chien. Désolé, Henri, ajouta-t-il en lui présentant la barre qu'il avait récupérée.

– Euh, peut-être plus tard, en fait, répondit Henri.

– Pas de problème, sourit le père de Nico.

Il remit le chocolat plein de bave dans le placard.

« Hé, beurk », songea Horrible Henri.

– Ze t'aime, Henwy, zozota une voix derrière lui.

– AAAH AHAHAHAH AAAH !

Henri se boucha les oreilles. Les vitres allaient-elles exploser ?

– Encore ! acclama le club Opéra Karaoké.

– Tu veux te marier z'avec moi ? demanda Zoé Zozotte.

– Ne restons pas là, dit Horrible Henri.

Horrible Henri bondit sur le lit de Nouveau Nico.

« Chouette, se dit-il. C'est l'heure des acrobaties. »

Hop !

Craac !

Le lit s'effondra comme une masse.

— Qu'est-ce qui s'est passé ? demanda-t-il. Je n'ai presque rien fait.

— Oh ! j'ai cassé ce lit il y a des lustres, répondit Nico. Papa dit qu'il en a marre de le réparer.

Zut ! Quel feignant, son père.

— Et si on faisait une bataille d'oreillers ? offrit Henri.

— Il n'y a plus d'oreillers. Les chiens les ont mangés.

Hum !

Ils pouvaient toujours se réintroduire dans la cuisine et s'attaquer au réfrigérateur, mais pour une raison mystérieuse, Henri n'avait pas envie de retourner dans cette pièce.

– Je sais ! s'exclama-t-il. Regardons la télé.

– D'accord, approuva Nico.

– Où est-elle ?

– Dans le salon.

– Mais… et le karaoké ?

– Oh ! ça ne leur fera rien. On est habitué au bruit dans cette maison.

POM POM POM POMPOMPOM POM POMPOM

Horrible Henri se tenait le visage collé à l'écran de la télévision. Il ne pouvait distinguer un seul des hurlements de Max Mutant avec tout ce raffut en fond sonore.

– Peut-être qu'on devrait aller se coucher, finit-il par dire en soupirant.

Il était prêt à tout pour échapper au vacarme.

– D'accord, dit Nouveau Nico.

Ouf ! Enfin la paix.

– ZZZZZ ! RON RON !

Henri se retournait dans son sac de couchage pour essayer de trouver une position confortable.

Il détestait dormir par terre. Il détestait dormir la vitre ouverte. Il détestait dormir avec la radio allumée. Et il détestait dormir dans la chambre d'un ronfleur.

– AHOUUUU ! hurla le vent d'hiver par la fenêtre.

– ROOON ! RON RON !

– … JE SUIS UN PAUVRE COWBOY SOLITAIRE ET JE CHERCHE UNE GENTILLE FILLE CÉLIBATAIRE… ! claironna la radio.

– OUAH ! OUAH ! OUAH ! aboyèrent les chiens.

– HÉÉÉ ! glapit Henri quand cinq molosses mouillés et malodorants sautèrent sur lui.

– AHOUUUU ! hurla le vent.

– ROOON ! RON RON !

– TORÉADOR… PRENDS GAAARDE ! tonna l'Opéra Karaoké en bas.

Henri adorait le bruit. Mais cette fois… c'était trop.

Il devait trouver un autre endroit où dormir.

Il ouvrit toute grande la porte de la chambre.

– Ze t'aime, Henwy, dit Zoé Zozotte.

Vlan ! Horrible Henri referma vivement le battant.

Il ne fit plus un geste.

Il cessa de respirer.

Puis il poussa de nouveau la porte.

– Tu veux te marier z'avec moi, Henwy ?

Aaaargl ! ! !

Horrible Henri s'échappa de la chambre en courant et se barricada dans le placard à linge. Il se laissa tomber sur une pile de serviettes.

Ouf ! Enfin en sécurité.

– Ze vais te faire un gros bisou, fit une petite voix à côté de lui.

– NOOOOOOOON !

Il était trois heures du matin.
TRALALA BOUM BOUM !

– … PAUVRE COW-BOY SOLI-
TAIRE…

– ROOON ! RON RON !

– AHOUUUUUUUUUUUUU !

– OUAH ! OUAH ! OUAH !

Horrible Henri rampa jusqu'au télé-
phone de l'entrée et composa le
numéro de chez lui.

Son père répondit.

– Je suis désolé pour Henri, est-ce
que vous voulez que nous venions le
chercher ? marmonna-t-il.

– Oui, gémit Horrible Henri, je vou-
drais dormir !

Fin

Francesca Simon est née à Saint Louis, dans
le Missouri, et a passé toute son enfance en
Californie. Elle fait ses études à Yale et à Oxford,
où elle se spécialise en littérature médiévale.
Elle se lance ensuite dans le journalisme et collabore
au *Sunday Times*, au *Guardian*, au *Telegraph*
ainsi qu'à *Vogue* (US). Après la naissance de son fils
Joshua, en 1989, elle décide de se consacrer
à l'écriture de livres pour la jeunesse.
Francesca Simon habite aujourd'hui à Londres.
Considérée comme l'un des auteurs pour enfants
les plus populaires de Grande-Bretagne, Francesca
Simon a publié plus d'une cinquantaine de livres
à ce jour. *Horrible Henri*, dont les premières
aventures ont débuté il y a près de quinze ans,
est devenu un véritable phénomène éditorial.

Tony Ross est né à Londres en 1938. Après
des études d'art à la Liverpool School of Art,
il travaille comme graphiste puis directeur artistique
d'une agence publicitaire et dispense également
des cours. Il développe dans le même temps
une carrière d'illustrateur en publiant des bandes
dessinées dans le magazine satirique *Punch*.
Son premier livre paraît en 1976. Créateur d'albums
inoubliables comme *La Petite Princesse*, Tony Ross
a également illustré les œuvres des plus grands
auteurs pour enfants.